D1258187

VEYS   MOSKI

ACH!LLE TALON

CRÈVE L'ÉCRAN

Une création de GREG

Couleur : François GIRAUDET

DARGAUD

PARIS • BARCELONE • BRUXELLES • LAUSANNE • LONDRES • MONTRÉAL • NEW YORK • STUTTGART

www.dargaud.com

© **DARGAUD (SUISSE) S.A. 2007**
PREMIÈRE ÉDITION
"Loi n°49-956 du 16 juillet 1949 sur les publications destinées à la jeunesse."
Dépôt légal : juillet 2007 • ISBN 978-2205-06036-2
Printed in France by Qualibris (JL)

PLAISIR D'ESSENCE

DR!!!IIINGG

LEFUNESTE ! CONSIDÉRANT VOTRE NATURE DE CUISTRE BOUFFI D'INGRATITUDE, JE NE SUIS VRAIMENT PAS RANCUNIER : J'AI DEUX BILLETS GRATUITS POUR UN ÉVÉNEMENT SPORTIF, ET JE VOUS INVITE !

NOUS Y ALLONS DE CE PAS. HABILLEZ-VOUS DÉCEMMENT. JE VOUS EXPLIQUERAI LE SENS DE CET ADVERBE EN CHEMIN.

?

NON. LE TEMPS EST À L'ÉCOLOGIE. IL N'EST PAS QUESTION DE NOUS RENDRE À UNE MANIFESTATION SAINE ET SPORTIVE EN RÉPANDANT DES GAZ D'ÉCHAPPEMENT SUR NOTRE CHEMIN. VOTRE TÊTE EST DÉJÀ UNE INSULTE À LA NATURE : NOUS DÉPASSERIONS LE QUOTA.

J'AI DIT NON.

MAIS ON MARCHE DEPUIS UN MOMENT ...

MÊME PAS LE BUS ?

RIEN ! NI GAZ CARBONIQUE, NI FUMÉE, NI AUCUN DÉCIBEL ! NOUS NE PERTURBERONS PAS PLUS L'ATMOSPHÈRE, QUE DEUX FANTÔMES ANOREXIQUES !

NORBERT QUEL CAMEMBERT !

EH BIEN, CE N'EST PAS TROP TÔT : J'AI L'IMPRESSION D'AVOIR FAIT UN MARATHON.

SILENCE ! NOUS ALLONS ENTRER SUR LA POINTE DES PIEDS DANS CE TEMPLE DU SPORT.

CAISSE

1

APRÈS LA GRÈVE SAUVAGE DES SUCREURS DE RAHAT-LOUKOUM, C'EST AU TOUR DES OUVRIERS QUI METTENT LA COLLE DERRIÈRE LES TIMBRES DE DÉBRAYER.

C'EST HONTEUX ! ILS PRENNENT UNE FOIS DE PLUS LES USAGERS EN OTAGE !

COMMENT ?!?

TROISIÈME SEMAINE DE GRÈVE ÉGALEMENT POUR LES LAVEURS DE CARREAUX DU CÔTÉ INTÉRIEUR...

TOI MON FILS, TU OSES REMETTRE EN CAUSE LA LÉGITIMITÉ DU DROIT DE GRÈVE POUR LEQUEL NOUS NOUS SOMMES TANT REBATTU LES OREILLES ?!

ET PUIS C'EST TRÈS PÉJORATIF DE DIRE «UN USAGÉ» MAINTENANT ON DIT PLUTÔT « UN HOMME FINI ».

...QUI RÉCLAMENT LES MÊMES AVANTAGES SOCIAUX QUE LES LAVEURS DE CARREAUX DU CÔTÉ EXTÉRIEUR.

AVONS-NOUS FAIT 89 POUR RIEN ?

JE NE SAVAIS PAS QUE TU AVAIS PRIS LA BASTILLE, MON PAPA.

89, C'EST L'YONNE, MAUVAIS ESPRIT. MES CAMARADES ET MOI, AVONS DÉVERSÉ 75 000 PAVÉS DANS LA COUR DE LA PRÉFECTURE ! OUI, MEUUUSIEUR !

AH BON ? JE NE SAVAIS PAS... VOUS PROTESTIEZ CONTRE QUOI ?

CETTE NOUVELLE SUR-PRENANTE, MAINTENANT : LE PRINCE DE MONACO PERD SA COURONNE À LA ROULETTE...

NOUS NE PROTESTIONS PAS. NOUS FAISIONS DES TRAVAUX POUR REPAVER LA COUR.

TON PÈRE A RAISON, ACHILLE. MÊME S'IL N'A QU'UNE NOTION APPROXIMATIVE DU MONDE DU TRAVAIL, TU DOIS RESPECTER LES REVENDICATIONS DES MASSES LABORIEUSES.

...DU DENTISTE. LA COLLE ÉTAIT DE MAUVAISE QUALITÉ.

ÉVIDEMMENT, MONSIEUR EST AU-DESSUS DE ÇA, PUISQU'IL S'EST ACOQUINÉ AVEC LA NOBLESSE !

JE T'INTERDIS DE MÊLER VIRGULE À CES VILES PRÉOCCUPATIONS SALARIALES !

JE REÇOIS À L'INSTANT UNE DÉPÊCHE... AVEC DE LA CONFITURE DESSUS. BRAVOOOO.

2A

JE...

ELLE NOUS ANNONCE LA GRÈVE SURPRISE DE LA BRASSERIE BURP QUI BRASSE LA BIÈRE DU MÊME NOM.

...ET QUE DIREZ-VOUS À CET HONNÊTE TRAVAILLEUR QUI, APRÈS UNE DURE JOURNÉE DE LABEUR ARIDE, RENTRANT DANS SON SORDIDE FOYER, ET RÉSISTANT À LA TENTATION D'EMBRASSER LE PETIT DERNIER QUI SE SOUILLE LABORIEUSEMENT DANS SON PARC, SE PRÉCIPITE VERS LE RÉFRIGÉRATEUR RONRONNANT, À LA RECHERCHE D'UNE PETITE MOUSSE SALVATRICE ?

OUI, QUE DIREZ-VOUS DEVANT SES GRANDS YEUX PLEINS DE LARMES ? «Y EN A PLUS. PRENDS PLUTÔT UNE EAU PÉTILLANTE POUR TE DÉSALTÉRER, MON GARS. » ?

JE SAIS CE QUE VOUS PENSEZ : « C'EST PROVISOIRE. ON VA RATTRAPER LES QUOTAS DE PRODUCTION APRÈS LA GRÈVE. » ...

MAIS NON !... TOUTE CETTE BIÈRE INNOCENTE QUI NE VERRA JAMAIS LE JOUR... ELLE EST PERDUE À JAMAIS ! VOUS AVEZ PEUT-ÊTRE DÉJÀ SUPPRIMÉ UNE BOUTEILLE QUI SERAIT DEVENUE UN PETIT MOZART DE LA BIÈRE...

POON

BURP LA BIÈRE QUI FAIT "HOPS"

2B

DANS NOTRE SOURIANTE ACTIVITÉ, DEUX INTERVENANTS SONT CRUCIAUX POUR DÉTERMINER LA STRATÉGIE DE TRAVAIL...

FIRST, LE SCREEN ADDICT, ET ZWEI, LE SCREEN FEEDER.

PRIMO, LE GENTIL TÉLÉSPECTATEUR, ET SECUNDO, L'AUTEUR QUI CRÈVE DE FAIM.

MAIS D'ABORD NOUS ALLONS FORMATER LES GO-BETWEEN, C'EST-À-DIRE : VOUS. DEMAIN, C'EST SURVIVAL LIFE COMMANDO POUR TOUT LE MONDE.

MAIS AVANT TOUT, FAISONS CONNAISSANCE AVEC VOS NOUVELLES CONDITIONS DE TRAVAIL, CHERS FUTURS ET CHARISMATIQUES PRÉSENTATEURS.

JE NE SUIS PAS CONVAINCU PAR CES MÉTHODES MODERNES... C'EST BIEN TROP MOU.

DITES, VOUS N'AVEZ PAS TOUT TRADUIT. C'EST QUOI UN "SURVIVAL LIFE COMMANDO"?

JE CROIS QUE L'ON POURRAIT TRADUIRE PAR : "JOLIES COLONIES DE VACANCES", DANS MON PAYS.

JE RETIRE TOUT CE QUE J'AI DIT : C'EST PARFAIT, IGNOBLE, CRUEL À SOUHAIT.

ET ON A DROIT À 15% DE PERTES.

BAH, PETITE RESTRICTION QUI NE PEUT ENTAMER MA JOIE D'ENFANT.

CLAC

4B

GRILLE DES PROGRAMMES DANS LA BRUME

MENEUH MENEUH SURVIVAL LIFE TRAINING MENEUH MENEUH EVALUATING MENEUH MENEUH BOBBYEWING MENEUH MENEUH

KILL THE POPE ! POW POW ARGH ! I'M DEAD !

MONSIEUR VACHERIN DIT QUE VOUS AVEZ TOUS RÉUSSI LE TEST DE SURVIE, ET QUE VOTRE MOTIVATION À SERVIR VOTRE GÉNÉREUSE ENTREPRISE SEMBLE ÉTABLIE.

JE PROTESTE !

ILS ONT SURVÉCU ! ÇA VEUT DIRE QU'ILS NE SE SONT PAS DONNÉS À FOND !

CRASH VLAM GOOD HEAVENS ! THE BISHOP ! YES, IT'S ME YERK YERK YERK

MENEUH MENEUH YAOURTING MENEUH MENEUH INZERAINSINGING BLA BLA

IL FAUT MAINTENANT DÉTERMINER LE DOMAINE DE COMPÉTENCE DE CHACUN.

COMMENÇONS PAR MONSIEUR RACHID TALON.

BIP ZWAP SPLOTCH MY NAME IS NORBERT... ...NORBERT THE CAMEMBERT !

EUH, C'EST ACHILLE TALON.

ALORS MOI, JE ME VERRAIS BIEN EN MENEUR DE JEU ÉLÉGANT ET CHARISMATIQUE. QUELQUE CHOSE DE CULTUREL, OÙ JE POURRAIS ARBITRER, TEL UN PIC DE LA MIRANDOLE MODERNE ET TÉLÉVISUEL.

ÇA S'APPELLERAIT " QUESTIONS POUR UN TALON ! "

MONSIEUR CHARLIGOL.

CHARLIER.

PROUTCH

ALORS MOI, ÇA SERAIT L'HISTOIRE AVEC UN GRAND H ! JE POURRAIS TOUT VOUS DIRE SUR CE QUE JULES CÉSAR MANGEAIT AU PETIT DÉJEUNER... LES INVASIONS DE GENGIS KHÂN, SES SANDWICHS PRÉFÉRÉS... LA DÉCOUVERTE DES ÎLES HAWAÏ (AUTREFOIS APPELÉES LES SANDWICH)...

MADEMOISELLE...

MADAME.

LA MODE ! JE PEUX TOUT PRÉSENTER : LES NOUVEAUX MAQUILLAGES INVISIBLES, LES VERNIS À ONGLES QUI NE TACHENT PAS LES CLAVIERS, LES PARFUMS LACRYMO, TRÈS TENDANCES, LES PIERCINGS EN FONTE...

MONSIEUR LE SECRÉTAIRE DE RÉDACTION.

MOI JE M'OCCUPERAIS BIEN DE SPORT... AU HASARD : LE BASKET-BALL.

MENEUH MENEUH MACCARTNEYANZEWING SALMANRUSHDING BLA BLA BLA TÉLÉ POUBELLING MENEUH MENEUH TRISELECTING.

LES VELLÉITÉS ARTISTIQUES SONT TOLÉRÉES... CE NOUVEAU PROGRAMME D'OPTIMISATION DE GESTION DE L'AUDIOVISUEL VA DÉTERMINER PRÉCISÉMENT LES ATTRIBUTIONS DE CHACUN.

TIP TIP CLAPITICLAP CLIP ENTER

L'ORDINATEUR A DÉCIDÉ QUE VOUS DEVIEZ TOUS OEUVRER DANS LE MÊME DOMAINE : L'ÉCOLOGIE.

JEU MAIN DES DAMES

AH, C'EST COMME ÇA ?

JE VOUS DÉFIE AUX DAMES, CUISTRE INVÉTÉRÉ !

VOUS POUVEZ ME DÉFIER À CE QUE VOUS VOULEZ, JE PERSISTE : INTELLECTUELLEMENT, VOUS ÊTES UN NUL ! SEULE VOTRE PRÉTENTION HIMALAYENNE EST DIGNE DE FIGURER AU LIVRE DES RECORDS !

EH BIEN, JE VAIS VOUS METTRE LE NEZ (SI ON PEUT APPELER AINSI LA CHOSE HIDEUSE QUI TRÔNE AU MILIEU DE VOTRE VISAGE) DEDANS !

JE CONNAIS UNE VARIANTE À CE JEU. ÇA SE JOUE AVEC DES CAPSULES DE BIÈRES.

HAHA ! VOUS ÊTES DÉJÀ À L'AGONIE, C'EST TROP FACILE !

ET VOILÀ : LA PREUVE EST FAITE. J'AI GAGNÉ. ET VOUS ÊTES UN GROS PLEIN DE VENT.

VOUS M'AVEZ DÉCONCENTRÉ ! C'EST DE LA TRICHE ! COMMENT POURRAIS-JE JOUER AVEC UNE PAREILLE TÊTE DE CAFARD EN FACE DE MOI ?

J'EXIGE UNE REVANCHE ! JE VOUS PRENDS AUX ÉCHECS !

ON VOIT QUE VOUS NE CONNAISSEZ PAS LE ROI DES JEUX : LE BUZZ, QUE J'AI PRATIQUÉ AVEC QUELQUES AMIS. ÇA CONSISTE À DÉCLINER LES RACINES CARRÉES DES COSINUS DES NOMBRES PREMIERS DES DÉCIMALES DE π. ET À CHAQUE ERREUR, ON DEVAIT BOIRE UNE PETITE BIÈRE, CUL SEC.

FINI DE RIRE, FAQUIN !

ÉCHEC ET MAT ! J'AI GAGNÉ ! VOUS ÊTES UN VER DE TERRE ! UN LOUKOUM !

ET POURTANT, QUAND ON CONSIDÈRE L'HISTOIRE DE VOTRE VIE DE PERDANT CONGÉNITAL, LES ÉCHECS SONT VOTRE SPÉCIALITÉ !

ÇA NE PROUVE RIEN !

5a

JE CONTRE-ATTAQUE AU GROBIK'S CUBE ! VOUS ATTENDIEZ GROUCHY, ET C'EST BLÜCHER QUI VA VOUS METTRE LA PÂTÉE... IMPÉRIALE !

HAHA ! TERMINÉ EN MOINS DE TEMPS QU'IL N'EN FAUT POUR DÉGONFLER UNE BAUDRUCHE ! VOUS ÊTES CAPOT, TALON !

ÇA NE COMPTE PAS ! VOTRE PARENTÉ SIMIENNE VOUS PROCURE NATURELLEMENT UNE HABILETÉ DE SINGE ! REMONTEZ DANS VOTRE ARBRE GÉNÉALOGIQUE !

SA

LE TRIPIAL QUIZ ! LÀ, VOUS ALLEZ MORDRE LA POUSSIÈRE, MINUS HABENS !

ILS ONT SORTI UN QUIZ " JEUX OLYMPIQUES ", UN QUIZ " CINÉMA "...MON PRÉFÉRÉ, C'EST LE QUIZ "BIÈRES DU MONDE".

LITTÉRATURE : LORS DE SA MORT, COMBIEN DE CARIES A-T-ON DÉNOMBRÉ SUR LES DENTS D'ALEXANDRE DUMAS FILS ?

27 !

EXACT. C'EST CHICHILLE QUI GAGNE.

HA HA !

TOUT ÇA, C'EST DE LA PETITE BIÈRE !

L'EXPRESSION EST OSÉE, MAIS ADÉQUATE.

IL FAUT QUELQUE CHOSE DE PLUS SÉRIEUX POUR NOUS DÉPARTAGER !

POUR UNE FOIS, JE SUIS D'ACCORD !

JE VOUS LANCE LE DÉFI ULTIME, LEFUNESTE !

J'ACCEPTE, TALON !

UN DUEL DE TITANS MESSIEURS DAMES !

ILS ONT ÉLIMINÉ TOUS LEURS CONCURRENTS POUR CETTE FINALE INTERRÉGIONALE DU PLUS GROS MANGEUR DE SAUCISSES.

DEVANT UN PUBLIC DE CONNAISSEURS, LA RAGE DE VAINCRE DÉCUPLE LEUR COMBATIVITÉ, ET ILS REPOUSSENT VAILLAMMENT L'HORIZON DES LIMITES HUMAINES !

BAFR CHOMP MIAM ARF

BURP

SB

MIEUX VAUT TROTTOIR QUE JAMAIS

TALON, RÉVEILLEZ-VOUS, D'IMPORTANTES FONCTIONS VOUS ATTENDENT AU SEIN DE TÉLÉ-POLITE.

MONSIEUR LE DIRECTEUR, VOTRE CONFIANCE EST BIEN PLACÉE, ET JE SAURAI ME MONTRER DIGNE DE...

NE ME REMERCIEZ PAS : CETTE IDÉE GROTESQUE VIENT DES ACTIONNAIRES. J'AI BIEN TENTÉ DE LES EN DISSUADER, VOUS POUVEZ ME CROIRE.

J'AVAIS D'AUTRES VISÉES POUR VOUS, MAIS IL PARAÎT QUE DEPUIS LA CHUTE DE L'URSS, IL N'EXISTE PLUS DE GOULAGS DIGNES DE CE NOM. VOUS LE SAVIEZ ÇA, TALON ?

ET, EUH, DONC JE VAIS ANIMER UNE ÉMISSION ? RÉALISER UNE SÉRIE ? ARBITRER UN DÉBAT POLITIQUE ?

UN MICRO-TROTTOIR.

UN...

OUI. DE MANIÈRE ANONYME, VOUS ALLEZ INTERVIEWER QUELQUES PASSANTS, POUR TESTER L'OPINION PUBLIQUE : IL S'AGIT DE SAVOIR SI L'APPARITION DE VOTRE BOBINE SUR LE PETIT ÉCRAN N'EST PAS SUSCEPTIBLE DE SCANDALISER LES HONNÊTES TÉLÉSPECTATEURS, ET PAR LÀ MÊME, DE DÉCOURAGER NOS GENTILS MAIS FRILEUX ANNONCEURS.

SI CE N'EST PAS LE CAS, ON VOUS CONFIERA UN IMPORTANT RÔLE DE POTICHE DANS UN JEU DE 3ᵉ ZONE.

JE SAIS : JE SUIS BON.

UN COÛTEUX DÉGUISEMENT, AINSI QU'UN CAMÉRAMAN INTRÉPIDE VOUS ATTENDENT. FILEZ, HEUREUX RÉCIPIENDAIRE.

UN MICRO-TROTTOIR... MOI... UN HOMME DE MA CLASSE.

BON, ELLE VA BIENTÔT COMMENCER, LA GRANDE VEDETTE ?

RUE M. DESFOINS

3A

ACHILLE TALON À LA TÉLÉ ?... L'IDÉE PEUT SÉDUIRE. ÇA NOUS CHANGERAIT DES BILLEVESÉES ÉRUCTÉES PAR TOUS CES IMBÉCILES EFFÉMINÉS ET PONTIFIANTS.

QUELLE CHARMANTE PERSPECTIVE... ACHILLE TALON EST UN ÉRUDIT, UN POÈTE, UN INTELLECTUEL DE PREMIÈRE FORCE...

C'EST UN GRAND ROMANTIQUE. IL SAURA NOUS FAIRE RÊVER...

MIAM CHOMP BAFR

TALON ? UN PHYSIQUE D'ATHLÈTE ! MENS SANA IN CORPORE SANO !

ARRÊTEZ !

LEF...

?

CELA FAIT UN MOMENT QUE JE VOUS ÉCOUTE, ET JE NE PEUX PAS LAISSER DIRE ÇA. JE VAIS VOUS DIRE, MOI, CE QUE C'EST QUE CETTE BAUDRUCHE DE TALON.

MAIS...

ALLEZ-Y. TOUT LE MONDE PEUT S'EXPRIMER...

IL A EFFECTIVEMENT UN PHYSIQUE... UN PHYSIQUE DE RADIO. QUANT À SA PRÉTENDUE ÉRUDITION, ELLE NAVRERAIT UN ÉLÈVE DE CM1. IL ENTRETIENT CETTE LÉGENDE À GRAND RENFORT DE RODOMONTADES LARGEMENT AGRÉMENTÉES DE FAUTES DE SYNTAXE.

MFFF

POUR L'HUMOUR, IL NE FAIT RIRE QUE LES BALANCES, LORSQU'IL A L'INDÉCENCE DE S'Y PESER. C'EST UN NAIN. UN PIGNOUF. UN...

RHAAAAAH!!!

BRAVO, TALON ! DU SANG, DE LA SAUVAGERIE, EN DIRECT ! ÇA C'EST DU SPECTACLE !

IL EST DOUÉ !

ON GARDE LA SCÈNE DE BOUCHERIE. JETEZ LE RESTE.

3B

DANSE AVEC LES LOURDS

...OUI, IL Y AURA LA MEILLEURE SOCIÉTÉ. ET JE SUIS PARVENUE À FAIRE VENIR L'ORCHESTRE NATIONAL DE VIENNE. UNE FOLIE, MON CHER !

IL ME TARDE, CHÈRE AMIE, IL ME TARDE... JE NE ME TIENS PLUS DE JOIE À L'IDÉE DE GLISSER SUR LE PARQUET, AU SON DE STRAUSS, VOTRE DÉLICATE MAIN DANS LA MIENNE...

JE COMPTE SUR VOUS. AUF WIEDERSEHEN, ACHILLE.

CATASTROPHE ! COMMENT FAIRE ? LA VALSE EST UNE DISCIPLINE TERRIBLEMENT TECHNIQUE, ET... TERPSICHORE S'EST CERTES PENCHÉE SUR MON BERCEAU, MAIS LÀ, À BRÛLE-POURPOINT, JE NE SUIS PEUT-ÊTRE PAS TOUT À FAIT PRÊT POUR LE BOLCHOÏ...

BEL EUPHÉMISME... JE DIRAIS PLUTÔT QUE VOUS DANSEZ COMME UNE PATATE...

LEFUNESTE, VOUS AI-JE DÉJÀ DIT QUE VOUS ÉTIEZ UN CUISTRE ?

JE VAIS PRENDRE DES COURS. DOUÉ COMME JE LE SUIS, UN OU DEUX DEVRAIENT SUFFIRE.

JE NE VOUDRAIS MANQUER CE SPECTACLE POUR RIEN AU MONDE.

LEÇON Nº1

LA VALSE, MONSIEUR TALON, EST AVANT TOUT AFFAIRE DE GRÂCE...

COURS DE DANSE
ELEGRETEL
PROF. E. KRAZPETON

...ET DE LÉGÈRETÉ.

QUI FAUT-IL PRÉVENIR, EN CAS D'ACCIDENT ?

COMME PARTENAIRE D'ENTRAÎNEMENT, JE SUGGÈRE PLUTÔT LE BIGFOOT, OU À LA RIGUEUR, UN YÉTI.

LEÇON Nº 3

7A

LEÇON N° 7

LEÇON N° 178

VOUS AVEZ FAIT DES PROGRÈS STUPÉFIANTS, MONSIEUR TALON.

PLUS AUCUNE DANSE N'A DE SECRET POUR VOUS : POLKA, FOX-TROT, PASO DOBLE, TANGO... VOUS EXCELLEZ DANS CHACUNE D'ELLES !

VOUS ÊTES NOTRE NOUVEAU FRED ASTAIRE !

LE GRAND SOIR...

LEFUNESTE, JE VOUS ENVIE : VOUS ALLEZ POUVOIR ASSISTER À MON TRIOMPHE.

ÇA NE SERA PAS LE TRIOMPHE DE LA MODESTIE, EN TOUT CAS.

MES HOMMAGES, BELLE MARQUISE.

ACHILLE, COMME VOUS VOILÀ FRINGANT ! AURIEZ-VOUS L'INTENTION DE M'ÉBLOUIR ?

PASSEZ EN CODES, TALON.

ÇA VA COMMENCER.

LEFUNESTE, ASSEYEZ-VOUS DANS UN COIN, ET FAITES TAPISSERIE. VOUS ALLEZ POUVOIR ADMIRER NOUREÏEV À L'ŒUVRE.

TAP TAP TAP

C'EST LA DANSE DES PALMIPÈDES

7B

15

TÉLÉ-LA-QUESTION

HÉ HÉ ...

ET VOUS, MONSIEUR LE DIRECTEUR, VOUS N'AVEZ PAS ENVIE D'ANIMER UNE ÉMISSION ?

MOI ?

AVEC VOTRE PRESTANCE, VOTRE CHARISME, VOTRE ÉLÉGANCE NATURELLE, NUL DOUTE QUE L'ENSEMBLE DES TÉLÉSPECTATEURS SERAIT SOUS LE CHARME.

C'EST VRAI.

MAIS DANS QUEL DOMAINE POURRAIS-JE BRILLER, BRAVE ET FIDÈLE TALON ?

QUELLE MODESTIE, MONSIEUR LE DIRECTEUR ! QUEL QUE SOIT LE SUJET TRAITÉ, VOUS CRÈVEREZ L'ÉCRAN !

NON !
NEIN !
NO !
NÃO !
NO !
¡NO !
NIE !
ÓXL !

MMMM.... LE SPORT ?

JE POURRAIS COMMENTER DES RENCONTRES DE FOOTBALL ...

" L'AVANT-CENTRE PASSE AU DÉFENSEUR, QUI RENVOIE LA BALLE D'UN FORMIDABLE COUP DE RAQUETTE, MAIS ELLE PASSE EN DESSOUS DU FILET ... ELLE EST REPRISE PAR LE NUMÉRO 72, QUI, MALGRÉ UN SKI CASSÉ, PARVIENT À MARQUER UN MAGNIFIQUE PANIER, DE LA LIGNE DES 15 MÈTRES ! "

EUH, ON SENT LE SPÉCIALISTE, C'EST INDÉNIABLE, MAIS JE VERRAIS PLUTÔT UN AUTRE DOMAINE ...

UNE ÉMISSION DE CUISINE ?

LA BAUDROIE EST UN POISSON TOUT MOU ET APPÉTISSANT, QU'IL FAUT FARCIR AVEC TOUTES SORTES DE CHOSES DÉLICATES ...

DES LOUKOUMS, DES CÂPRES, UN LITRE D'HUILE DE FOIE DE MORUE, POUR DONNER DU GOÛT ...

... UNE BANANE BIEN MÛRE, UN PAQUET DE FRAISES "ADADA", QUELQUES OEUFS À LA COQUE, BIEN GLAIREUX ...

... UNE SEULE OLIVE, PAS DEUX : ATTENTION À LA FAUTE DE DÉBUTANT ...

8A

VOUS VERSEZ DÉLICATEMENT LA PÂTE À LA CHLOROPHYLLE, TIÈDE...

LE TOUT RESTE CRU, OU LÉGÈREMENT BOUCANÉ AU SOLEIL QUELQUES JOURS... ET, COUPÉ EN FINES TABLETTES, CELA DONNE UN DÉLICIEUX CHEWING-GUM, PARFUM SUSHI, QUI VOUS PERMET DE GARDER UNE VIVIFIANTE HALEINE DE MARÉE, EN TOUTES CIRCONSTANCES.

VOUS ÊTES UN VÉRITABLE LUCULLUS, MONSIEUR LE DIRECTEUR... MAIS JE NE SENS PAS ENCORE LE SUJET QUI COLLE À VOTRE SUBTILE PERSONNALITÉ...

VRAIMENT ?

J'AI TROUVÉ : L'HISTOIRE ! VOILÀ UN SUJET FASCINANT ET PRESTIGIEUX !

GÉNIAL !

VOUS SEREZ MON PREMIER INVITÉ, TALON ! UNE GUEST-STAR !

VOUS ÊTES TROP BON, MONSIEUR LE DIRECTEUR.

HÉHÉ, LA FLATTERIE, ÇA PAYE À TOUS LES COUPS.

L'HISTOIRE DE LA TORTURE À TRAVERS LES ÂGES. SCÈNE 1.

ACTION !

SNIF.

CLAP

8B

QUAND LES IDÉES FUSENT

9A

LE JUGEMENT D'ODIEUX

OH, À PROPOS... NOUS AVONS UN PETIT SOUCI AVEC TALON...

RIEN DE CATASTROPHIQUE... SIMPLEMENT, VOUS LE CONNAISSEZ, IL PREND SON RÔLE D'ANIMATEUR À TÉLÉ-POLITE UN PEU TROP AU SÉRIEUX. ET IL A TENDANCE À JOUER LES VEDETTES.

AAAAH, IL SE PREND POUR UNE VEDETTE ?... JE VAIS LUI ENSEIGNER L'HUMILITÉ, MOI.

C'EST POUR QUI ?

ÉMILE DUBOUDIN, COMPAGNON DE LA LIBÉRATION, DE PASSAGE À LA CAPITALE...

ET POUR VOUS, BELLE INCONNUE ?

OH, MONSIEUR TALON, JE SUIS VOTRE PLUS GRANDE FAN ! J'AI MIS UN POSTER DE VOUS AU-DESSUS DE MA RÉSERVE DE BOCAUX DE CORNICHONS ! QUELLE PRESTANCE ! VOUS ETES VRAIMENT UNE STAR, VOUS CREVEZ L'ÉCRAN !

JE METS TOUT ÇA ?

ET POUR TOI, MON PETIT BONHOMME ?

VOUS METTEZ : "À MON DIRECTEUR BIEN-AIMÉ."

AAAAHH !

10A

EUH, CE N'EST PAS DU TOUT CE QUE VOUS CROYEZ, MONSIEUR LE DIRECTEUR. JE NE CHERCHE PAS À VOLER LA VEDETTE... JE FAIS SIMPLEMENT UN PEU DE "PUBLIC RELATIONS" POUR LA PROMOTION DE TÉLÉ-POLITE, DONT VOUS ÊTES LE CRÉATEUR INSPIRÉ, ET RESPECTÉ DE TOUS...

J'AI FAIT QUELQUES ESSAIS POUR DIVERSES ÉMISSIONS... PUIS-JE ME PERMETTRE DE VOUS LES PASSER ?

LÀ, JE PRÉSENTE LE JOURNAL, DANS UN STYLE SOBRE, CLASSIQUE...

...LE CÉLÈBRE PHILOSOPHE ÉCRIVAIN, RÉFUGIÉ AUX ÉTATS-UNIS DEPUIS QUELQUES MOIS, S'EST RÉCEMMENT FAIT ENTARTER PAR UN CERTAIN "THE GLOUPIER" QUI...

LÀ, J'ANIME UN DIVERTISSEMENT CULTUREL...

LA VACHETTE A RÉUSSI À L'ATTRAPER ! BING ! HAHA ! ELLE S'EN DONNE À CŒUR JOIE...

ÇA, C'EST "ACHILLE LE JARDINIER". LE JARDINAGE, ÇA PLAÎT TOUJOURS.

CLIC. DOSE MAXIMUM

EH BIEN, TALON, JE DOIS VOUS AVOUER QUE JE SUIS IMPRESSIONNÉ...

JE SUIS LE MEILLEUR.

PAR ACQUIT DE CONSCIENCE, JE VAIS TOUT DE MÊME VÉRIFIER ÇA : VACHERIN M'A LAISSÉ UN PROGRAMME INFORMATIQUE RÉVOLUTIONNAIRE QUI PERMET DE SÉLECTIONNER LE MEILLEUR HOMME DE TÉLÉVISION.

CLIC CLIC !

LE RÉSULTAT NE FAIT AUCUN DOUTE.

VOILÀ, LE PROGRAMME EST SAISI : LE FACIÈS DU PRÉSENTATEUR IDÉAL S'AFFICHE DIRECTEMENT SUR LES ÉCRANS...

LEFUNESTE !!???

QUEL BEL HOMME !

ET VIRIL...

C'EST VRAI QU'IL EST IDÉAL...

ÇA VA NOUS CHANGER DE TOUS CES ÉPHÈBES GOMINÉS.

RHAAAAAAAA...

10B

FIDÈLE GASTRO

DONC, JE NOTE : PLAT BOULEVERSANT, MÊME EN FAISANT ABSTRACTION DE LA VIRTUOSITÉ BOCUSIENNE DE LA CUISINIÈRE...

...QUI RESTE ANONYME PAR PURE MODESTIE.

BIEN. PASSONS AUX SUIVANTS.

IL Y EN A D'AUTRES ?

COMME À HONG KONG : UNE MULTITUDE GROUILLANTE...

QUELQUES CURIOSITÉS EXOTIQUES PLUS TARD.

COMMENT AVEZ-VOUS TROUVÉ LES TRIPES DE CONCOMBRE DE MER, TARTARE ?

PROPREMENT AFFOLANT. C'EST L'ESTOCADE...

COMMENTAIRE : " LE GOURMET SE PÂME LITTÉRALEMENT. "

JE NE PEUX PLUS...

UN EFFORT, CHICHILLE, NOUS VENONS À PEINE DE COMMENCER. IL ME FAUT QUELQUE CHOSE DE CONSISTANT POUR "BONJOUR POUPOUNE"...

QU'Y A-T-IL, HÉCATOMBE ?

UNE CONTRARIÉTÉ, MADAME.

J'AI PRIS PAR INADVERTANCE LES PRODUITS SAISIS PAR LES SERVICES DE L'HYGIÈNE. CEUX POUR VOTRE ENQUÊTE SUR LES DANGERS DE LA RESTAURATION APPROXIMATIVE.

CIEL ! VOUS ÊTES PARFOIS D'UNE INCONSÉQUENCE, MA PAUVRE HÉCATOMBE ! ET MON ARTICLE, ALORS ?

ÇA NE SERAIT PAS ARRIVÉ SI VOUS AVIEZ CHOISI UN CONGÉLATEUR À COMPARTIMENTS, COMME J'AVAIS DEMANDÉ.

IL EST À L'ARTICLE DE LA MORT.

EH BIEN, VOUS L'AVEZ VOTRE ARTICLE, MADAME.

11 B

23

TAUX D'ÉCOUTE D'ÉMILE ET DÉCENT

EH BIEN, MON CHER VINCENT, QUEL MERVEILLEUX PRODUIT ALLEZ-VOUS NOUS PRÉSENTER AUJOURD'HUI ?

EH BIEN, MON CHER ACHILLE, CET ARTICLE IN-DIS-PEN-SABLE, QUE NOUS PROPOSONS POUR UN PRIX RIDICULE (DONC QUI NE TUE PAS), PAR PURE PHILANTHROPIE, EST UN MUST EN MATIÈRE DE CONFORT BOURGEOIS, ET DE RELAXATION...

BIGRE ! QUEL PROGRAMME ! ESSAYONS-LE SUR UN CUISTRE.

PRÊT POUR LA PETITE DÉMONSTRATION, MON CHER HILARION ?

UNE CABINE DE DOUCHE À JETS MULTIPLES ? CE N'EST PAS TRÈS NOUVEAU, MAIS ÇA A LE MÉRITE D'ÊTRE AGRÉABLE.

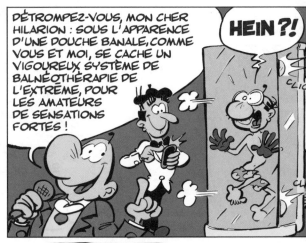

DÉTROMPEZ-VOUS, MON CHER HILARION : SOUS L'APPARENCE D'UNE DOUCHE BANALE, COMME VOUS ET MOI, SE CACHE UN VIGOUREUX SYSTÈME DE BALNÉOTHÉRAPIE DE L'EXTRÊME, POUR LES AMATEURS DE SENSATIONS FORTES !

HEIN ?!

VOUS AVEZ D'ABORD LA FONCTION DOUCHE ÉCOSSAISE AMÉLIORÉE ...

AAAAAAAHH C'EST FROID !!

AH, ÇA Y EST, L'ACARIÂTRE DE SERVICE COMMENCE DÉJÀ À SE PLAINDRE... "LES GRÊLONS SONT TROP FROIDS, ILS NE SONT PAS ASSEZ RONDS..." ET GNAGNAGNI ET GNAGNAGNA ...

WHOLIAAAAAAH ! JE BRÛLE !

ÉVIDEMMENT. ON VIENT DE VOUS DIRE QUE C'EST UNE DOUCHE ÉCOSSAISE... DITES, ON A DÉPOSÉ UN HOMARD DANS LA CABINE, VOUS POURREZ NOUS DIRE QUAND IL SERA À POINT ?

LEFUNESTE, JE VOUS PARLE... NE FAITES PAS LA SOURDE OREILLE DÈS QU'ON VOUS DEMANDE UN SERVICE !

ESSAYONS MAINTENANT LA FONCTION "SAUNA SUÉDOIS"...

QU'EST-CE QUE C'EST QUE ÇA ?

DES ORTIES. C'EST UN STIMULANT DERMIQUE TRÈS PERFORMANT.

OUYE ! AYE HOULA WHAAAA !

JE LES AI CUEILLIES MOI-MÊME DANS VOTRE JARDIN MAL ENTRETENU...

12A

QUELQUES MINUTES PLUS TARD.

VOICI MAINTENANT UNE NOUVEAUTÉ QUE VOUS ALLEZ ACHETER LES YEUX FERMÉS, ET LE PORTEFEUILLE GRAND OUVERT. JE L'AI D'AILLEURS TESTÉE PERSONNELLEMENT. C'EST DIRE SI VOUS POUVEZ AVOIR CONFIANCE.

AVEZ-VOUS DÉJÀ REMARQUÉ, MESSIEURS, L'EFFET DÉSASTREUX QUE LA CALVITIE PEUT PROVOQUER SUR NOTRE POUVOIR DE SÉDUCTION ?

EH BIEN, LE PROGRÈS EST EN MARCHE, IL GALOPE MÊME, CAR NOUS AVONS DÉCOUVERT LE PRODUIT MIRACLE QUI VA VOUS TRANSFORMER RAPIDEMENT EN UN NOUVEL ABSALON !

DE COIFFURE ...HAHA !

DÉPÊCHEZ-VOUS DE COMMANDER NOTRE **REPOUSSACTIF +** : IL N'Y EN AURA PAS POUR TOUT LE MONDE... PLUS PRÉCISÉMENT, PAS POUR LES PAUVRES, VU SON PRIX...

ET EN CADEAU, CETTE AUTHENTIQUE REPRODUCTION DU PEIGNE DE TARASS BOULBA !

JE SUIS VOLONTAIRE POUR TESTER TOUT LE STOCK !

NON, C'EST À MOI, N'Y TOUCHEZ PAS !

INUTILE DE GASPILLER VOTRE ARGENT, LEFUNESTE. MÊME AVEC DES CHEVEUX, VOUS AUREZ TOUJOURS LE CAPITAL SÉDUCTION DE QUASIMODO.

SOYEZ GÉNÉREUX, TALON : VOUS NE POUVEZ PAS PRIVER LES GENS DU MERVEILLEUX SPECTACLE DU CIEL SE REFLÉTANT SUR VOTRE CRÂNE D'HIPPOPOTAME !

CLING CRASH CLING

?

LEFUNESTE, NOTRE MONSTRUOSITÉ NOUS CONDAMNE À FINIR EN ERMITES, SUR UNE PENTE DE L'HIMALAYA, À L'ABRI DE LA CURIOSITÉ MALSAINE DE NOS CONTEMPORAINS.

COMPTEZ SUR MOI POUR GÂCHER VOTRE RETRAITE...

?

12B

OUVREZ, OUVREZ LA CAGE AUX FAFIOTS

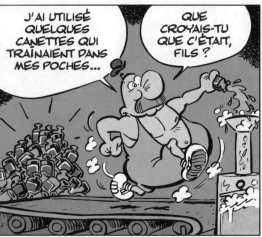

13B

SHERLOCK TALON

TÉLÉ-POLITE PRÉSENTE...

AH, LEFUNESTE. TEL LE SOLIDE PORRIDGE, SUR L'ESTOMAC DU TRAVAILLEUR DE FORCE, VOUS TOMBEZ BIEN...

?

INSTALLEZ LA PARTIE LA PLUS INTELLIGENTE DE VOTRE INDIVIDU, SUR CE FAUTEUIL.

QUE SE PASSE-T-IL, TALON ?

WHOUAAAAAA !

C'EST CONCLUANT.

AÏE ! OUÏE ! AU S'COURS !

JE VOULAIS SAVOIR SI LES PINCES D'UN HOMARD, PARTICULIÈREMENT VIGOUREUX, POUVAIENT GÉNÉRER ASSEZ DE PRESSION À TRAVERS LE TISSU D'UN CABAS. RAPPORT À L'ENQUÊTE QUE LORD PESSIX M'A CONFIÉE, POUR PROUVER SON INNOCENCE.

HMUF HMUF

CLAC CLAC

SOUVENIR OF BASKERVILLE

IL EST ACCUSÉ D'AVOIR PINCÉ LE ROYAL POSTÉRIEUR DE SA TRÈS GRACIEUSE MAJESTÉ, ALORS QU'EN FAIT, IL TRANSPORTAIT INNOCEMMENT UN BRAVE CRUSTACÉ, EN REVENANT DE SON MARCHÉ. CETTE EXPÉRIENCE PROUVE QUE C'EST BIEN À TRAVERS LE CABAS DE LORD PESSIX, QUE L'APPENDICE DU FACÉTIEUX DÉCAPODE A PERPÉTRÉ SON FORFAIT.

GOD SAVE THE QUEEN.

ET TOUTE CETTE SORTE DE CHOSES.

HOP ! YES.

J'EN AI ASSEZ DE VOS BRIMADES, TALON ! J'AI FAILLI ÊTRE DÉVORÉ VIVANT PAR CE MONSTRE !

SILENCE, CUISTRE ! VOUS AVEZ BIEN DE LA CHANCE QUE JE VOUS FASSE PARTICIPER À MES EXPÉRIENCES SCIENTIFIQUES !

INGRAT !

14 A

L'INSPECTEUR CHARLYEAR, DE SCOTLAND YARD...

FAITES ENTRER, MADAME HUDSON.

LES GENS JETTENT VRAIMENT N'IMPORTE QUOI...

LE HOMARD, C'EST BON AUSSI, CRU.

ALIMENTAIRE, MON CHER*.

* JEU DE MOTS DÉSORMAIS PUNI PAR LA LOI DU 12/10/2006

JE REVIENS DE CHEZ LORD PESSIX...

VOUS POUVEZ LUI DIRE QU'IL EST LAVÉ DE TOUT SOUPÇON. J'AI CLAIREMENT PU ÉTABLIR LA CULPABILITÉ DU HOMARD, GRÂCE AU CONCOURS PRÉCIEUX ET DÉSINTÉRESSÉ DU DOCTEUR LEFUNESTE.

IL NE S'AGIT PAS DE ÇA. D'AILLEURS, SA MAJESTÉ LUI A PARDONNÉ...

NON, C'EST À PROPOS DE SA FEMME : ELLE A RETROUVÉ 3 LONGS CHEVEUX ROUX SUR LE COL DE SA REDINGOTE. D'OÙ, LÉGITIMES SOUPÇONS... ET LORD PESSIX SOUHAITERAIT QUE VOUS PROUVIEZ, DE NOUVEAU, SON INNOCENCE.

CLAC CLAC

QUELQUES JOURS PLUS TARD.

ET VOILÀ COMMENT LES "CHEVEUX" SE SONT RETROUVÉS SUR LES VÊTEMENTS DE LORD PESSIX...

VOUS VOYEZ, TALON, MOI AUSSI JE FAIS DES EXPÉRIENCES : J'AI DÉCOUVERT QUE LORD PESSIX, AVANT QUE SA FEMME NE RETROUVE DE LONGS CHEVEUX ROUX SUR SES VÊTEMENTS, ÉTAIT PASSÉ AU ZOO, PRÈS DE LA CAGE DES ORANGS-OUTANS, ET...

14B

DITES-LE AVEC DES BULLES

ISA

JE SUIS TRÈS HONORÉ, CHER ÉRUDIT... VOTRE PRÉSENCE DANS CE TEMPLE DE L'ESPRIT, C'EST UN PEU COMME...

COMME UNE ANDOUILLE QUI REND VISITE À UN CHARCUTIER...

CHHHT...

À INVITÉ EXCEPTIONNEL, ÉNIGME EXCEPTIONNELLE, MON CHER ACHILLE. ÉCOUTEZ-BIEN...

VOUS ÊTES LE SIEN, ET IL EST LE VÔTRE... SANS LUI VOUS NE LE SERIEZ PAS, ET SANS VOUS, IL NE LE SERAIT PAS NON PLUS.

PRENEZ VOTRE TEMPS...

INUTILE : IL S'AGIT DE "VOISIN".

INCROYABLE ! QUELLE ASSURANCE ! QUELLE RAPIDITÉ !... VOUS ÊTES UN GÉNIE, MAÎTRE TALON !

HEIN !?! MAIS C'EST N'IMPORTE QUOI ! MOI AUSSI, J'AVAIS TROUVÉ : C'EST SIMPLE COMME BONJOUR !

CHHHT, LEFUNESTE, ALLONS...

PLUS TARD.

QUE DOIS-JE FAIRE, EXACTEMENT ?

ALLEZ-Y, MARQUISE, CASSEZ-Y LA GUEULE !

RENTREZ-LUI DANS LE CHOU !

MAIS...

LÂCHEZ-MOI ! C'EST INTOLÉRABLE ! ...ATTENTION, JEUNE FILLE, JE VAIS M'ÉNERVER !

16A

UNE ÉTUDE EN GROS ROUGE

17A

JE SUIS LE SEUL À EN VENDRE À LONDRES (D'AILLEURS, JE POURRAIS EN PROFITER, MAIS JE NE FAIS PAS CE MÉTIER POUR L'ARGENT). TROIS DE MES CLIENTS EN SONT PARTICULIÈREMENT FRIANDS. ET L'UN D'EUX CORRESPOND À VOTRE DESCRIPTION. IL LOGE DANS CETTE RUE, D'AILLEURS.

HAHA ! NOUS ALLONS CUEILLIR CETTE FRIPOUILLE DANS SON HORRIBLE NID DE VAUTOUR !

HAUT LES MAINS, PROFESSEUR GOSCINNIARTY ! VOUS ÊTES FAIT !

DAMNATION* ! SHERLOCK TALON !

HIMSELF !

HAHA, TU L'AS IN THE PUDDING, RASCAL !

* EN FRANÇAIS : DAMNED !

MAIS POURQUOI ÉLÈVE-T-IL TOUTES CES POULES ?

CE RÉCIPIENT ÉTAIT PLEIN DE FIENTE... POUAH !

VOUS ARRIVEZ TROP TARD, TALON : VOTRE HUMILIATION SUPRÊME EST PROGRAMMÉE ! HAHAHA !*

* RIRE SATANIQUE

ET POURQUOI RÉCOLTER TOUTES CES DÉJECTIONS ??? QU'EN A-T-IL FAIT ?

JE CRAINS LE PIRE, LEFUNESTE...

VITE ! RENDONS-NOUS À FIDDLER STREET ! LE TEMPS PRESSE !

FIDDLER STREET ? LÀ, OÙ IL Y A VOTRE...

HAHAHAHA !*

* RIRE DÉMENT

TROP TARD !

MA STATUE !

CE CHEF-D'ŒUVRE DE L'ART POMPIER ET DU MAUVAIS GOÛT REÇOIT ENFIN LE TRAITEMENT QU'IL MÉRITE, TALON !

WHOUAHAHAHAHA !

17B

RÔLES DE DRAME

TOUT LE MONDE EST PRÊT POUR LA RÉPÉTITION ?

MAIS QU'EST-CE QUE... ??? CE N'EST PAS CE QUE J'AI ÉCRIT, ÇA...

J'AI RETRAVAILLÉ QUELQUES PASSAGES DE VOTRE SCÉNARIO, TALON, POUR DONNER DU PUNCH.

QUOI ?! C'EST LEFUNESTE QUI A LE RÔLE DU JEUNE PREMIER ??!

QU'EST-CE QUE ÇA A DE SURPRENANT, TALON ?

OUI, C'EST LUI QUI JOUE LE TALENTUEUX ET SÉDUISANT JOURNALISTE. N'OUBLIEZ PAS QUE L'ORDINATEUR L'A DÉSIGNÉ COMME L'HOMME LE PLUS CHARISMATIQUE.

CET ORDINATEUR EST UN 💀🌀✳

MON CHER LEFUNESTE, JE SOUHAITERAIS VOUS CONFIER UN REPORTAGE SUR...

MAIS... MAIS PAS DU TOUT... LE RÉDACTEUR EN CHEF NE DOIT PAS JOUER COMME ÇA... IL DOIT ÊTRE ODIEUX, COMME D'HABI... EUH, JE VEUX DIRE...

MOI, JE LE SENS BIEN DANS CE STYLE, MON PERSONNAGE... DEVANT UN JOURNALISTE AUSSI SYMPATHIQUE, IL RESSENT DE LA BIENVEILLANCE...

NON, DÉSOLÉ, ÇA NE CONVIENT PAS AU RÔLE.

J'AI ENVIE DE FAIRE RESSORTIR MA NATURE PROFONDE DE GRAND HUMANISTE, DOUX ET GENTIL... VOUS Y VOYEZ UNE OBJECTION ?

NON, AUCUNE.

C'EST TOUT À FAIT VOUS.

BRILLANTE IDÉE, MONSIEUR LE DIRECTEUR.

À PROPOS DU PERSONNAGE DE FAIRE-VALOIR, JOUÉ PAR TALON, J'AI UNE IDÉE QUI POURRAIT ENRICHIR LE CONTENU HISTORIQUE...

QUELLE COÏNCIDENCE, J'AI ÉGALEMENT UNE IDÉE À VOTRE ÉGARD, QUI POURRAIT ENRICHIR LES POMPES FUNÈBRES...

18A

VU LE CONTEXTE COLONIALISTE DE L'ÉPOQUE, JE TROUVE QUE BALOURD, MON FIDÈLE SERVITEUR, DEVRAIT AVOIR UN ASPECT PLUS EXOTIQUE... ET QU'IL DEVRAIT M'APPELER "BWANA".

QUOI ???!

EXCELLENTE SUGGESTION. ÇA VA CRÉDIBILISER LE PERSONNAGE...

POURQUOI N'Y AVEZ-VOUS PAS PENSÉ, TALON ?

TU AS TOUS MES BAGAGES, BALOURD ?

OUI, BWANA LEFUNESTE.

ÇA REND PAS MAL...

OUI, ON Y CROIT, LÀ.

ATTENTION, IMBÉCILE ! TU EN LAISSES TOMBER !

JE... JE SUIS DÉSOLÉ, BWANA LEFUNESTE.

SOMBRE IDIOT !

STOP ! ARRÊTEZ TOUT !

IL Y A UNE ERREUR : L'ORDINATEUR N'AVAIT PAS CHOISI LEFUNESTE COMME L'HOMME LE PLUS TÉLÉGÉNIQUE...

?

...MAIS COMME LE PLUS IRRITANT, POUR LES RÔLES DE VILAINS.

CE N'EST PAS DANS LE SCÉNARIO ! ÇA N'A AUCUN RAPPORT !

JE L'AI RAJOUTÉ.

UNE INSPIRATION DE DERNIÈRE MINUTE.

MUSH !

?

18B

HÉLAS, L'HÉLICE EST LASSE !

AINSI VOUS ÊTES REPORTER, MONSIEUR ROULETABOSSE ? COMME CELA DOIT ÊTRE PASSIONNAAAAAANT...

VOUS SAVEZ, POUR MOI, LE TOUR DU MONDE, C'EST UN PEU LA ROUTINE...

C'EST PLUTÔT LE TOUR DE TAILLE QUI LUI POSE PROBLÈME.

J'EN AI ASSEZ ! LEFUNESTE N'ARRÊTE PAS DE FAIRE DES COMMENTAIRES DÉSOBLIGEANTS PENDANT QUE JE JOUE !

MOI ? MAIS JE N'AI RIEN DIT...

AUCUNE IMPORTANCE : ON PEUT EFFACER LES DIALOGUES SUPERFLUS AU MONTAGE. CONTINUEZ LA SCÈNE.

QUE PERSONNE NE BOUGE ! C'EST UN DÉTOURNEMENT !

BON SANG ! SOUS CE DÉGUISEMENT SUBTIL, SE DISSIMULAIT UN PIRATE DE L'AIR !

C'EST VACHEMENT BIEN ÉCRIT !

PITIÉ, MONSIEUR LE PIRATE ! VOUS POUVEZ TUER TOUT LE MONDE, MAIS ÉPARGNEZ-MOI !

TU N'ES QU'UN LÂCHE !

TIENS, PRENDS ÇA, SALE BANDIT !

PAN PAN

DAMNED ! C'ÉTAIT UNE RUSE IGNOBLE !

PIF !

ET C'EST VACHEMENT BIEN JOUÉ, AUSSI...

19A

CATASTROPHE ! UNE DES BALLES A TRAVERSÉ LE MOTEUR DROIT !

IL S'EST FAIT PORTER PÂLE ?

COMMANDANT !

OUI ?

LE MOTEUR DROIT EST EN FEU ! NOUS ALLONS DEVOIR FAIRE UN ATTERRISSAGE FORCÉ DANS LA JUNGLE !

NON.

COMMENT ÇA, "NON" ?

TON SCÉNARIO EST INEPTE ! DE MON TEMPS, ON NE SE POSAIT PAS EN CATASTROPHE À CAUSE D'UN PETIT PROBLÈME DE MOTEUR ! CE N'EST PAS CRÉDIBLE !

IL NE RESPECTE PAS MON TEXTE...

J'AI PRÉPARÉ AUTRE CHOSE.

ALLEZ-Y, ON VA VOIR CE QUE ÇA DONNE.

COMMANDANT ! UNE BALLE A TRAVERSÉ LA GLACIÈRE ET BRISÉ TOUTES LES BOUTEILLES ! NOUS ALLONS ÊTRE À COURT DE BIÈRE !

HORREUR !

NOUS N'AVONS PAS LE CHOIX ! IL FAUT SE POSER EN URGENCE POUR EN TROUVER !

C'EST MIEUX !

ÇA RENOUVELLE LE GENRE. BRAVO !

VOILÀ DE L'ÉCRITURE MODERNE !

EXTRA BALLE

19B

L'ÎLE DE LA FERMENTATION

ICI ? EN PLEINE JUNGLE ?

EN ATTERRISSANT, J'AI APERÇU DES BÂTIMENTS, PAR LÀ...

IL FAUT VITE TROUVER DU RAVITAILLEMENT, SI NOUS NE VOULONS PAS MOURIR DE SOIF.

MAIS... IL Y A DE L'EAU PARTOUT...

NE VENEZ PAS ME PARLER DE CE LIQUIDE REPOUSSANT ! MOI JE VOUS PARLE DE LA SOIF LÉGITIME DES MASSES LABORIEUSES, QUE SEULE UNE PETITE MOUSSE PEUT ÉTANCHER !

BWANA ROULETABOSSE ! VENEZ VOIR !

LA BRASSERIE MYTHIQUE DES SEPT CITÉS DE CIBOLA !

AINSI, CE N'ÉTAIT PAS UNE LÉGENDE ...

PERDUE DANS LA JUNGLE... UNE BRASSERIE QU'AUCUN HOMME BLANC N'A JAMAIS VUE, DEPUIS QU'ELLE A ÉTÉ DÉCRITE PAR LES CONQUISTADORES ...

DES CONQUISTADORES, CHEZ LES PAPOUS ?

COMMENCEZ PAS À CHIPOTER ...

UNE REPRÉSENTATION DE LEUR DIEU... MAGNIFIQUE OBJET D'ART PRIMITIF...

ON DIRAIT DU MÉTAL...

REGARDEZ : ILS FONDAIENT DES CAPSULES DE BIÈRES POUR FABRIQUER LEURS STATUES.

AU SECOURS !

CIEL ! C'EST LA VOIX DE LA MARQUISE ! ELLE EST EN DANGER !

OU ALORS, ELLE VIENT DE VOIR UNE TACHE DE BOUE SUR SA CHAUSSURE...

COUPEZ ! C'EST DANS LA BOÎTE...

20A

40

SÉQUENCE SUIVANTE.

DES CANNIBALES ! NOUS SOMMES PERDUS !

NE ME TOUCHEZ PAS, IGNOBLES SAUVAGES !

PAF

DOUCEMENT, AVEC MES CASCADEURS !

VOUS DEVEZ FAIRE **SEMBLANT** DE LES FRAPPER...

MAIS JE FAIS SEMBLANT...

JE FAIS DU MIEUX QUE JE PEUX, ET ON ME TRAITE COMME UNE MOINS QUE RIEN...TOUT ÇA, PARCE QUE JE SUIS UNE FAIBLE FEMME... OUIAAAAOU...

CRONK

VOUS AVEZ FROISSÉ HÉCATOMBE ! C'EST INQUALIFIABLE !

BON. SCÈNE SUIVANTE : LES INDIGÈNES SE PROSTERNENT DEVANT MONSIEUR TALON PÈRE, QU'ILS PRENNENT POUR LEUR DIEU. PUIS ILS LUI APPORTENT DES OFFRANDES, SOUS FORME LIQUIDE...

ENCORE UNE RÉÉCRITURE DE TA PART, JE SUPPOSE ?

MONSIEUR LE DIRECTEUR... UNE FACTURE À SIGNER...

?

AAAAAAAAAH!!!

EUH, OUI, ON A UN PEU DÉPASSÉ LE BUDGET, À CAUSE DES NOMBREUX CHANGEMENTS DE SCÉNARIO...

ENCORE DU BOIS !

RIEN N'EST TROP BEAU POUR CE FILM !

VOUS CROYEZ QUE CETTE NOUVELLE SCÈNE EST INDISPENSABLE ? ...ET PUIS ÇA AUGMENTE ENCORE LE BUDGET...

bp 1

20B

DIKTAT CULTUREL

ET CE QUI M'A FRAPPÉ, DANS VOTRE OPUS, ANTOINE-GONTRAND DE SABLEUSE, C'EST CETTE CONSTANTE RÉFÉRENCE À L'UNIVERS PROUSTIEN...

AH OUI, POUR MOI, PROUST EST INCONTOURNABLE... UN EXTRAIT, DE MÉMOIRE :

"CE SOIR J'ATTENDS MADELEINE, J'AI APPORTÉ DU LILAS, J'EN APPORTE TOUTES LES SEMAINES, MADELEINE, ELLE AIME BIEN ÇA".

À SE PÂMER !

MERVEILLEUX !

BOULEVERSANT...

GLOU GLOU

ET MAINTENANT, NOUS AVONS LA CHANCE DE COMPTER PARMI NOUS L'AUTEUR AMÉRICAIN BUCOLIKSKI...

PHOQUE ŒUF !

...QUI NOUS REVIENT AVEC CE ROMAN AUTOBIOGRAPHIQUE : "PATRON, REMETTEZ-NOUS ÇA !"

UERRRRGL !

HAHA, CE SENS DE LA REPARTIE...

C'EST TOUT L'ESPRIT DE MANHATTAN...

IL EST DIVIN...

BRILLANTISSIME.

HALTE !

?

IL Y EN A ASSEZ DE CES ÉMISSIONS PRÉTENDUES LITTÉRAIRES, OÙ L'ON VOIT TOUJOURS LA MÊME BANDE DE PARASITES PRÉTENTIEUX.

LEFUNESTE !

VOULEZ-VOUS ME F ☠☁🌀✦ LE CAMP !!!

JE VIENS ICI POUR PRÉSENTER MON OUVRAGE : "LE VOISIN, CE FLÉAU DU SIÈCLE".

21A

42

MISE EN SEINE

BONJOUR, MONSIEUR LE DIRECTEUR. VOTRE CAFÉ...

MMMM, MERCI.

SPRRRRT !

QU'EST-CE QUE C'EST QUE CETTE HORREUR ?!

DU CAFÉ DE GLANDS, MONSIEUR LE DIRECTEUR. JE LES AI CUEILLIS MOI-MÊME DANS LE PARC, CE MATIN.

DU... ?!!

ELLE EST DEVENUE FOLLE...

OUI, OUI, BIEN SÛR...RESTONS CALME... LÀÀÀÀÀ... TOUT VA BIEN.

TALON ! ELLE EST FOLLE ! ELLE A VOULU ME FAIRE BOIRE UNE DÉCOCTION IMMONDE !

LE CAFÉ DE GLANDS EST UN PEU AMER, JE VOUS L'ACCORDE, MAIS IL FAUT BIEN FAIRE DES ÉCONOMIES...

DES ÉCONOMIES ?!

OUI, LE COMPTABLE A FAIT UNE PETITE ERREUR...

C'EST PARCE QUE JE COMPTE ENCORE EN ANCIENS FRANCS. EN FAIT, C'ÉTAIT 656 FOIS PLUS CHER QUE PRÉVU. ON A ENCORE LE DROIT DE SE TROMPER, NON ?

22A

...DU COUP, LA CRÉATION DE TÉLÉ-POLITE, NOUS A PRESQUE RUINÉS... IL A FALLU REVENDRE LE MATÉRIEL DE BUREAU, FOLLEMENT DISPENDIEUX, POUR EN REVENIR À DES COÛTS DE FONCTIONNEMENT PLUS RAISONNABLES.

DOUCEMENT AVEC LES PIGEONS VOYAGEURS : CE SONT LES DERNIERS. APRÈS, C'EST LES SIGNAUX DE FUMÉE...

AH, AU FAIT, POUR LE SALON DU LIVRE DE FRANCFORT, VOUS N'Y ALLEZ PAS EN AVION, CETTE ANNÉE : TROP CHER.

ON A PU S'ARRANGER AVEC UN TRANSPORTEUR DE LÉGUMES : C'EST LÉON QUI VOUS EMMÈNE.

ALORS ? ! IL ARRIVE, LE BUSINESSMAN ? LA SCAROLE, ÇA N'ATTEND PAS.

EN ÉCHANGE, VOUS LUI DONNEREZ UN PETIT COUP DE MAIN, POUR DÉCHARGER LES 15 TONNES DE CAGEOTS...

PLUS D'ARGENT... C'EST UN CAUCHEMAR, JE VAIS ME RÉVEILLER...

REGARDEZ PAR LÀ...

?

ON VOUS A EU, MONSIEUR LE DIRECTEUR ! HAHA ! VOUS AVEZ ÉTÉ LA VICTIME DE NOTRE PREMIÈRE CAMÉRA CACHÉE !

AMUSANT, NON ?

C'EST ICI QUE VOUS TRAVAILLEZ, MAINTENANT ?

OUI. CONCERNANT LE SENS DE L'HUMOUR DE NOTRE BIEN-AIMÉ DIRECTEUR, IL Y A EU UNE PETITE ERREUR D'ESTIMATION...

22B

D'UN T QUI VEUT DIRE TALON

23A

NE SOYEZ PAS TRISTE, VOUS AUSSI UN JOUR, VOUS SIGNEREZ À TOUT-VA.

HÉ ! C'EST LEFUNESTE !

NOOON !?

?

M'SIEU LEFUNESTE, UN AUTOGRAPHE, S'IL VOUS PLAÎT !

MOI AUSSI !

C'EST INCROYABLE DE LE VOIR EN VRAI...

IL EST RESTÉ TRÈS SIMPLE.

VOUS POUVEZ EMBRASSER MON BÉBÉ ?

IL EST MERVEILLEUX, DANS SES RÔLES DE VILAIN...

OH OUI, LES MÉCHANTS SONT TELLEMENT FASCINAAAANTS ...

MONSIEUR LEFUNESTE, IL PARAÎT QUE VOUS FAITES DES MIRACLES... VOUS POURRIEZ ME TOUCHER LES YEUX, ET DIRE QUELQUE CHOSE EN ARAMÉEN ?

QUE DISIEZ-VOUS, TALON ? AH OUI... QUE MOI AUSSI, UN JOUR, JE SIGNERAIS DES AUTOGRAPHES. RAPPELEZ-MOI COMBIEN VOUS EN AVEZ SIGNÉS, VOUS ?

MMMFFFF

C'EST VOTRE FUTUR PLÂTRE, QUE JE VAIS SIGNER ! CUISTRE !

PAF

CE SONT LES DEUX VEDETTES QUI TOURNENT UN NOUVEAU FILM.

ET ILS FONT TOUTES LEURS CASCADES, EUX-MÊMES...

MAIS OÙ SONT LES CAMÉRAS ?

23B

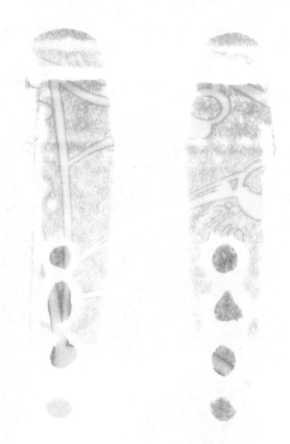